Ce livre appartient à:

----

*Souvenir de ta 4ᵉ année
De mesdames Hélène et Lisette*

Pas besoin de dire : Abracadabra !
avant de visiter notre site :
www.soulieresediteur.com

De la même auteure

Chez le même éditeur et dans la même collection :

L'Histoire de Louis Braille, 2001

Chez d'autres éditeurs :
La série *Trop...* chez Dominique et cie :
Trop... c'est trop!
Trop... amoureux!
Trop... jaloux!
Trop... rigolo!
Trop... timide!
Trop... bavarde!

Allez, hop, Jean-Guy !
aux éditions les 400 coups

Houdini

une biographie romancée écrite par

Danielle Vaillancourt

illustrée par Francis Back

SOULIÈRES ÉDITEUR

case postale 36563 — 598, rue Victoria,
Saint-Lambert, Québec J4P 3S8

Soulières éditeur remercie le Conseil des Arts du Canada et la SODEC de l'aide accordée à son programme de publication et reconnaît l'aide financière du gouvernement du Canada par l'entremise du Programme d'Aide au Développement de l'Industrie de l'Édition (PADIÉ) pour ses activités d'édition. Soulières éditeur bénéficie également du Programme de crédit d'impôt pour l'édition de livres – Gestion Sodec – du gouvernement du Québec.

Dépôt légal: 2007
Bibliothèque nationale du Canada
Bibliothèque nationale du Québec

Données de catalogage avant publication (Canada)

Vaillancourt, Danielle

  Houdini
  Collection ma petite vache a mal aux pattes ; 77

  ISBN 978-2-89607-058-9
  Pour enfants de 6 ans et plus.

  1. Houdini, Harry, 1874-1926 - Ouvrages pour la jeunesse. 2. Magiciens (Illusionnistes) - États-Unis - Biographies - Ouvrages pour la jeunesse. 3. Virtuoses de l'évasion (Prestidigitation) - États-Unis - Biographies - Ouvrages pour la jeunesse. I. Back, Francis. II. Titre. III. Collection.

GV1545.H8V34 2007   j793.8092   C2007-940835-4

Conception graphique de la couverture:
Annie Pencrec'h

Logo de la collection:
Caroline Merola

À Denis Vézina,
le plus grand magicien de ma vie.

Mot de l'auteure

Même si elle est romancée, l'histoire que vous allez lire est vraie. Vraie comme la Terre tourne autour du Soleil, vraie comme le Soleil réchauffe le monde, vraie comme j'aime mon amoureux, vraie comme les enfants grandissent...

Je remercie le Conseil des Arts du Canada pour la bourse accordée à ce projet d'écriture.

Commençons par
le commencement

— La tarte a encore disparu ! cria Cécilia en refermant la porte de l'armoire avec fracas. Mais comment cela est-il possible ? Y a-t-il des fantômes dans cette maison ? Une tarte ne peut pas disparaître toute seule ! Théo ! Nathan ! Carrie ! Ehrich ! Venez tout de suite à la cuisine !

— Maintenant, vous allez me dire la vérité, toute la vérité, juste la vérité ! reprit la maman de la famille Weiss.

— Ce n'est pas moi, je le jure, répondit chacun des enfants.

— Qui a volé ma tarte ? redemanda Cécilia. Je veux le savoir une fois pour toutes ! Sinon, je n'en fais plus une seule. Vous n'aurez pour dessert que le pouding de votre père !

— Oh, non ! firent les enfants en grimaçant.

— Si vous voulez revoir l'ombre d'une tarte sur cette table, je vous suggère de me faire connaître le petit magicien qui s'amuse à les faire disparaître ! Théo ! c'est toi qui as volé la tarte ?

— Non, maman, je le jure ! Je jouais aux billes avec Nathan et Léopold.

— Carrie, c'est toi ? poursuivit la maman.

— Non, je berçais Lili chérie, ma poupée adorée.

Il ne restait qu'Ehrich, silencieux, tête baissée, impatient que se termine cet interrogatoire.

— Alors, mon petit Ehrich, c'est toi qui as volé la tarte ?

— Non, maman, ce n'est pas... débuta Ehrich avant d'être interrompu par le rire de toute la famille !

— Ne mens pas Ehrich ! Tu as l'air d'un clown qui s'est maquillé le visage avec des fraises !

Ehrich Weiss

En vérité, Harry Houdini est un pseudonyme, un nom d'emprunt pour ce personnage qui va marquer l'histoire de la magie et du spectacle au début du XXe siècle. Son véritable nom est Ehrich Weiss. Il est né le 24 mars 1874 à Budapest, en Hongrie.

Son père se prénomme Samuel et il est rabbin. Un rabbin est un homme chargé d'enseigner la religion juive. Comme à plusieurs époques, les Juifs sont alors victimes de racisme et de discrimination.

Cécilia aime tendrement ses enfants, mais elle est très inquiète. La famille est pauvre, son mari manque de travail et les Juifs sont de plus en plus rejetés. Cécilia supplie son mari de quitter la Hongrie pour aller vivre aux États-Unis. Pour plusieurs immigrants de l'époque, l'Amérique apparaît comme une terre promise où la liberté est la règle et le travail abondant.

Âgé de quatre ans, Ehrich tient très fort la main de son père lorsque toute la famille monte à bord d'un grand bateau. Ils quittent les côtes d'Europe, traversent l'Atlantique et débarquent le 6 avril 1878 dans un port des États-Unis d'Amérique. La famille Weiss s'installe dans le Wisconsin. Pour Ehrich, c'est une seconde naissance. Toute sa vie, il célébrera son anniversaire à cette date.

Malheureusement, la vie en Amérique n'est pas facile. Samuel, le père de Ehrich, ne trouve pas de travail suffisamment payant pour faire vivre sa famille. Ils déménagent cinq fois avant de s'installer dans la ville d'Appleton, près du lac Winnebago.

Ehrich fréquente l'école de son quartier. Son prénom est difficile à prononcer par ses camarades américains. Ils finissent par l'appeler Harry, Harry Weiss.

Harry n'est pas un très bon élève. Il a beaucoup de difficultés à apprendre à lire et à écrire. Tout le distrait, le soleil, la pluie, le vent, une feuille qui tombe d'un arbre, une poussière qui roule sur le plancher ou la grimace d'un voisin. Il est turbulent. Il raconte des histoires abracadabrantes. Il bavarde avec ses camarades de classe et dérange son professeur. Harry s'invente une autre vie, merveilleuse, où il est un super héros. Il aime impressionner ses amis en leur disant qu'il peut retenir son souffle durant de longues minutes, qu'il peut courir des milles sans s'essouffler et qu'il est capable de faire des dizaines de culbutes sans être étourdi. Il s'invente mille et une aventures plus farfelues les unes que les autres.

Pourtant le soir, le ventre creux, Harry a du mal à s'endormir. Il réfléchit. Il rêve. Il voudrait devenir riche et célèbre. Entre les murs de sa petite chambre misérable, il se demande comment se libérer de cette pauvreté qui l'étouffe.

J'ai faim !

Malgré ses grands rêves de richesse et de célébrité, Harry a encore et toujours faim, très faim ! Ni très grand ni très fort, il se sent impuissant à changer la situation. Il est de plus en plus frustré et en colère contre la vie. Il n'a plus envie d'aller à l'école où il ne récolte que des échecs. Et la faim le tenaille toujours ! Il commence à faire de petits vols : une pomme, une laitue, un saucisson. Harry est habile, il court vite et, comme il est petit, il se faufile partout.

Un matin, Harry passe devant la boulangerie. Une douce odeur de pain lui chatouille les narines. Un pain tout rond, tout chaud est à portée de sa main. Il regarde à gauche, puis à droite. Tous les clients semblent fort occupés. Il approche son nez et hume la miche chaude. Mioum… Son ventre gargouille. Harry ne peut plus résister. Il saisit le pain et le glisse sous son manteau. Aussitôt, un long cri aigu se fait entendre : Hiiiiiiiiii, AU VOLEUR !

La boulangère hurle si fort que Harry reste figé sur place. Ses jambes ne parviennent plus à bouger. Il est paralysé par la surprise et la peur. Tous les regards se tournent vers lui. Harry est pris au piège.

Soudain, on l'agrippe par les poignets. Un policier, l'air furieux, lui passe les menottes.

Assis au commissariat, Harry regarde ses mains. Elles sont menottées. Il est à la fois inquiet et fasciné. Jamais il n'a vu de menottes d'aussi près, de vraies grosses menottes de métal avec des serrures et des maillons autour de ses petits poignets. Il est tellement impressionné qu'il n'entend pas le policier lui faire la leçon :

— Voler, c'est très mal. Un garçon devrait aller à l'école. Quel âge as-tu ? Quel est ton nom ? Qui sont tes parents ? Où habites-tu ?

Hypnotisé par la lourdeur des menottes, Harry ne répond pas. Des larmes coulent sur ses joues.

— J'avais faim, finit-il par dire en pleurant.

Harry Weiss n'a que dix ans lorsqu'il fait la promesse au policier de retourner à l'école. En échange, le policier sort une clé de sa poche et le libère de ses menottes.

Le cœur en peine, Harry retourne sur les bancs de l'école. Les journées lui paraissent longues et pénibles. Assis à son pupitre, il s'ennuie. Toute la journée, il se tortille sur sa chaise, bavarde, grimace et joue de bons et de mauvais tours. Son comportement lui cause de sérieux problèmes. Il aimerait plaire à ses parents, à son professeur, à tout le monde, mais il ne réussit que des mauvais coups et il est toujours puni. Il aimerait être un héros, mais tout porte à croire qu'il ne peut être qu'un zéro.

Un jour, l'enseignante emmène ses élèves à la bibliothèque. Harry déteste la lecture. C'est une activité qui l'ennuie profondément. Chaque élève choisit un livre. Harry a beau faire le clown, tous ses camarades de classe sont déjà plongés dans leur lecture. Il regarde autour de lui. Des centaines de livres s'alignent sur les rayons. L'un d'entre eux attire son attention. Le livre possède une couverture de cuir sur laquelle est gravé ce titre en lettres d'or : *Confidences d'un prestidigitateur,* de Robert Houdin, publié en 1858. Harry serre le livre contre sa poitrine, marche jusqu'à une grande table, tire une chaise et s'assoit. Il ne le sait pas encore, mais à cet instant précis, ce livre va changer sa vie.

Même si ce n'est pas facile, il commence la lecture. Et plus il lit, plus les mots deviennent familiers.

Le livre raconte l'histoire de Robert Houdin, un horloger français considéré comme le père de la magie moderne.

La magie, c'est fantastique !

Après la lecture du livre de Robert Houdin, le jeune Harry se sent différent. Alors qu'il disait avoir toujours faim, ce livre lui fait l'effet d'un bon repas chaud. À partir de ce jour, Harry fréquente la bibliothèque. Il lit tous les ouvrages concernant la magie.

« La magie, c'est comme une recette de cuisine, se dit-il, il suffit de suivre les étapes une à une sans oublier d'ingrédients. Quand un tour de magie est bien maîtrisé, j'ajoute mes ingrédients spéciaux. Je réinvente la recette. Je refais le tour à ma manière. »

Harry s'amuse avec son jeune frère Théo. Il apprend des tours de cartes, puis des jeux de cordes. Il fait apparaître et disparaître des foulards. Théo admire son grand frère et applaudit chaque numéro avec enthousiasme. Mais tous ces jeux ne rapportent ni pièces de monnaie ni nourriture.

Après l'école, Harry et son frère Théo passent de longues heures dans la rue à tenter de gagner un peu d'argent en vendant des journaux. Harry aime impressionner les passants et attirer leur attention. Pour mieux vendre ses journaux, il saute, crie, fait des blagues et des grimaces. Lorsque les deux frères épuisés ont ramassé quelques sous, ils rentrent à la maison. Cécilia, leur maman chérie, les accueille à bras ouverts.

Maman, je t'aime… beaucoup, énormément... à la folie !

Cécilia est une mère aimante, mais elle est très malheureuse de voir ses enfants manquer de tout. Harry souffre de voir la peine sur le visage de sa mère. Il la surprend souvent à étouffer un sanglot ou à essuyer discrètement une larme. Il rêve de rendre sa mère heureuse et de vivre à ses côtés pour toujours.

Il adore la faire rire. Après une journée passée dans la rue à vendre des journaux, Harry cache les pièces de monnaie difficilement gagnées dans ses cheveux bouclés, dans ses poches, dans son chandail et un peu partout dans ses vêtements. À son arrivée à la maison, il s'empresse de se tenir droit comme un soldat devant sa mère adorée.

— Maman, secoue-moi ! demande-t-il avec insistance.

— Te secouer ? répond Cécilia.

— Oui ! Oui ! Secoue-moi ! Secoue-moi ! Allez, maman ! rétorque Harry.

Cécilia secoue affectueusement son petit garçon. Et plus elle le secoue, plus on entend rouler les pièces sur le plancher. Gling ! Gling ! Gling ! Cécilia sourit tendrement et Harry en est heureux.

— Tu es un brave garçon ! dit fièrement Cécilia.

Harry fait un grand et majestueux salut, puis une courbette, une culbute suivie d'un baiser volant comme un papillon tout léger et tendre.

Cécilia applaudit. Elle esquisse un large sourire. Elle ferme les yeux en serrant son fils chéri sur son cœur et l'embrasse sur la joue. Harry est heureux de ce petit bonheur passager.

Douze ans,
la première évasion

Harry et son frère travaillent fort à vendre des journaux. Mais ce n'est pas suffisant. La famille manque d'argent, de nourriture et de vêtements. Son père, Samuel, est terriblement triste et honteux d'être aussi pauvre et de ne pas pouvoir faire vivre sa famille convenablement. Même s'il désire offrir une bonne éducation à ses enfants, il doit se résoudre à les retirer de l'école et à leur demander de travailler toute la journée.

Le travail est si rare au Wisconsin que Harry croit fermement qu'il doit s'exiler hors de sa ville pour gagner plus d'argent. Un matin, avant le lever du soleil, il quitte sa famille endormie. Il a un pincement au coeur en pensant à sa petite maman chérie qu'il ne reverra plus. Mais tant pis, il doit partir. Il reviendra un jour. Et ce jour-là, il aura de l'argent plein les poches.

À son arrivée, à la gare, il observe le tableau des départs. Où aller ? « Ma petite vache a mal aux pattes, tirons-la par la queue, elle ira bien mieux dans un jour ou deux... »

Un train rugit dans la gare. Il part pour Kansas City.

— Dernier appel, lance le chef de gare.

Harry traverse les rails. Il regarde à gauche et à droite. Personne en vue. Il saute dans le train et se cache. Il n'a pas de ticket. Il est passager clandestin.

Le train roule en direction de Kansas City, vers une autre vie qu'il espère meilleure.

Un cirque

À son arrivée à Kansas City, Harry se promène au hasard des rues. Soudain, il aperçoit le chapiteau d'un cirque ambulant. Intrigué, Harry s'approche et soulève un coin de la toile pour observer les acrobates, les clowns et les jongleurs.

Il sursaute lorsque la voix d'un jeune homme vient briser l'enchantement.

— Bonjour ! lance le jeune homme en tenue de trapéziste, je m'appelle Robert, et toi, comment t'appelles-tu ?

— Eh, euh !… Bonjour, je… je m'appelle Harry Weiss, balbutie le fouineur.

— Et que fais-tu dans la vie, Harry, à part regarder sous le chapiteau des cirques ?

— Eh, euh !… je suis un peu magicien.

— Tu aimerais visiter le cirque, Harry ? lance Robert en haussant un sourcil.

— Ohhh oui ! s'exclame Harry.

— Alors, suis-moi !

Harry rencontre des clowns avec de gros nez rouges qui font des pirouettes, un contorsionniste, une femme à barbe et une vache à six pattes. Un immense sourire éclaire son visage. Il se sent ici chez lui. Dès qu'il aperçoit les trapézistes, les jambes de Harry deviennent molles comme des spaghettis trop cuits, ses mains sont moites et son cœur bat aussi vite qu'un tambour. Harry a le coup de foudre.

— J'aimerais apprendre à faire du trapèze. S'il vous plaît, enseignez-moi cet art, je serai le meilleur élève au monde. Je suis très doué pour les pirouettes. Je suis prêt à vous suivre partout.

Afin de montrer ses talents, Harry exécute une culbute. Il fait la roue et mille et une cabrioles.

— Je sais que je suis fait pour une vie d'artiste et, pour y arriver, je suis prêt à mettre tous les efforts qu'il faut, renchérit Harry.

Harry plaît immédiatement aux gens du cirque. Devant tant d'enthousiasme, les frères Gallois, propriétaires du cirque, acceptent de l'engager et de lui enseigner les secrets pour devenir un bon trapéziste.

— Le cirque voyage toujours de ville en ville. Tu devras nous suivre et quitter ta famille, le préviennent-ils. Si tu es d'accord, nous partons à la fin de la journée.

— J'ai déjà quitté ma famille, s'exclame Harry. Je suis prêt à partir dès maintenant ! Merci, merci et merci encore de me donner ma chance !

Harry observe, apprend et écoute. Le cirque devient pour lui son école et sa nouvelle maison. Il s'y sent chez lui et en bonne compagnie. Chaque jour, il monte dans les longues échelles et s'élance sur les trapèzes. Harry n'a que douze ans, mais il est talentueux. Il intitule son numéro de trapèze : « Harry, le Prince de l'air »

En plus d'être le Prince de l'air, Harry pratique sans relâche ses tours de magie.

Je suis Harry Houdini

Les semaines, les mois et les années passent. Harry est devenu trapéziste. Le cirque n'est ni très riche ni très connu, mais des centaines d'hommes, de femmes et d'enfants viennent applaudir le Prince de l'air. Harry adore voler et sentir un frisson parcourir la foule apeurée lorsqu'il saute d'un trapèze à l'autre. Il aime entendre les Ohhhhh ! et les Ahhhhh ! Mais ce sont les Hiiiiiiiii ! qui lui procurent le plus grand plaisir.

Même s'il adore son métier, Harry continue d'apprendre de nouveaux tours de magie et de les perfectionner. Il parvient même à convaincre ses patrons de lui permettre de présenter ses tours lorsqu'il a terminé son spectacle de trapèze.

Lorsqu'il exécute ses tours de magie, Harry se sent vraiment heureux. Le contact plus direct avec son auditoire le ravit. Il peut lire l'étonnement et la surprise sur le visage de ses spectateurs.

Une seule chose le chicote : son nom.

— Harry Weiss. Ce nom n'est pas assez américain, se dit-il. Il n'a pas de punch. Je ne réussirai jamais à retenir l'attention du public avec un nom pareil.

Un jour, Harry se promène dans une rue de Boston. En passant devant la bibliothèque, il ferme les yeux et pense à tous les bouquins qu'il a empruntés. Tout en se remémorant les heures de plaisir qu'il a passées à lire, il entre dans la bibliothèque et se dirige vers le rayon des biographies. Il examine durant de longues minutes les livres qui racontent l'histoire d'hommes et de femmes célèbres. Puis soudain, un titre lui saute aux yeux : *Confidences d'un prestidigitateur*, de Robert Houdin. Harry sourit. Il se rappelle que ce livre lui avait fait un grand bien et avait changé sa vie ! Harry caresse doucement la couverture de cuir. Il ouvre le bouquin et y plonge son nez pour retrouver l'odeur de ce moment. Mais Harry sent un picotement… Ahhhhhhh Aaaaaaa aaaahhhhhhhhhhhhhhhtchoum !

Il éternue très fort ! Harry tourne la tête et aperçoit la bibliothécaire qui lève les yeux au ciel.

— Silence ! chuchote-t-elle.

— Pardon madame, c'est à cause du livre de monsieur Houdin.

— Chhhhhuuutttttt ! répète la biblio-thécaire irritée.

Harry observe le livre, plisse les yeux, puis il éclate de rire. Cette fois la biblio-thécaire, furieuse, le regarde d'un air indi-gné comme si elle venait de recevoir une gifle.

— Harry Houdin, Harry Houdin ! répè-te-t-il dans sa tête. J'ai trouvé mon nom ! Monsieur Robert Houdin a été pour moi un véritable père, il est temps pour moi de lui rendre hommage.

Mais tout comme pour ses tours de magie, Harry veut y ajouter une petite touche personnelle. Il ne faut pas confondre Robert-Houdin et Harry Houdin ! Harry réfléchit : A-E-I-O-U. Un « A », ça donne Houdina, pouach ! Un « O » pour Houdino ! Trop nono ! Un « I » pour Houdini. Ça oui !

Tout heureux, Harry a enfin trouvé son nom : Houdini, Harry Houdini ! En sortant de la bibliothèque, il saute de joie. Il a envie de crier à tous les passants : regardez-moi, je suis un nouveau-né ! J'ai un nom tout neuf !

À chaque passante, il offre une révé-rence et il se présente :

— Bonjour, madame, je suis Harry Houdini, et je suis enchanté de faire votre connaissance !

Je dois quitter le cirque

Un jour, alors que Harry se balance d'un trapèze à l'autre, il entend le cri d'une spectatrice qui vient de se faire voler son sac à main.

— Au voleur ! crie-t-elle à tue-tête.

Une fraction de seconde, Harry se rappelle le cri de la boulangère qui l'avait paralysé et conduit au poste de police. Cette distraction lui est fatale. Sa main glisse du trapèze. Ses jambes virevoltent. Il tente de se cramponner. Trop tard. Il plonge dans le vide sous le regard horrifié des spectateurs. Heureusement, le filet de protection freine sa course, mais malgré tout, il percute le sol et se casse les deux jambes.

Sa carrière de trapéziste est terminée, mais Harry ne se décourage pas. Durant sa convalescence, il invente de nouveaux tours de magie. Faute d'être un grand acrobate, il rêve maintenant de devenir un grand magicien.

« Malgré mes jambes arquées, je reste souple, athlétique et je possède un cœur solide, se dit-il en bombant le torse. Depuis des mois, je m'exerce à retenir mon souffle dans la baignoire. Je parviens maintenant à rester de longues minutes sous l'eau. Je peux me libérer si je suis enchaîné. Je peux changer un deux de pique en as de cœur. Je peux faire disparaître des objets... Un jour, je serai le plus grand et le plus célèbre magicien du monde ! »

Un matin, Harry reçoit une lettre de sa mère. Elle lui annonce que son père a enfin trouvé un travail... à New York. Si Harry pouvait aller rejoindre son père, ensemble ils pourraient amasser suffisamment d'argent pour réunir la famille.

Harry verse une larme de joie à l'idée de retrouver son frère, ses sœurs, son père et sa petite maman chérie. Après avoir fait ses adieux à ses amis du cirque, Harry part pour New York.

New York

À New York, Harry est heureux de retrouver son père. Harry lui raconte ses voyages à travers l'Amérique, son métier de trapéziste et ses amis du cirque. Il parle surtout de l'ambition qu'il a de devenir le plus grand magicien du monde. Harry est âgé de quatorze ans, mais il a l'impression d'être un homme. Son père, Samuel, ne le décourage pas, mais il sait bien qu'il est très difficile de devenir une vedette de la scène.

Malgré son talent et sa persévérance, Harry ne trouve ni de théâtre où produire son spectacle ni de cirque pour l'embaucher. Il doit se résoudre à se trouver un emploi.

À cette époque, le travail est rare et, pour chaque offre d'emploi, il y a vingt candidats. Tous ceux qui cherchent un emploi doivent se promener dans les rues et scruter les annonces aux portes des usines. Un jour, Harry remarque une longue file de curieux à la porte d'une manufacture. On annonce qu'un emploi de coupeur de cravates est disponible. Il est jeune et sans expérience dans le domaine. Il lui vient soudain une idée aussi brillante que saugrenue. « Un magicien doit aussi être un très bon comédien », se dit-il avant d'entrer dans le rôle qu'il s'apprête à jouer.

D'un air déterminé, Harry passe devant tout le monde et décroche le tableau sur lequel est affichée l'annonce de l'emploi.

— Mesdames et Messieurs, lance-t-il aux gens décontenancés, je vous remercie d'avoir manifesté de l'intérêt pour notre compagnie. Le poste de coupeur de cravates a été comblé. Je suis désolé de vous décevoir. Je vous souhaite une meilleure chance la prochaine fois.

Lorsque le patron de l'usine ouvre la porte pour accueillir les nouveaux candidats, seul Harry se tient devant lui.

Le lendemain matin et tous les autres matins, Harry travaille à l'usine de cravates. Après un an, Harry et son père ont assez d'argent pour faire venir le reste de la famille à New York.

Tous les membres de la famille se retrouvent avec bonheur. On organise une grande fête. Cécilia concocte un repas délicieux qui s'achève par la dégustation de ses fameuses tartes aux fraises. Maintenant

que la famille est réunie, Harry se promet de consacrer plus de temps à réaliser son rêve.

Un serrurier
exceptionnel

Le travail de coupeur de cravates finit par devenir ennuyeux. Harry change d'emploi. Il travaille maintenant comme apprenti serrurier. Depuis qu'il a été menotté, il est fasciné par les clés, les toutes petites, les très grandes, celles qui ouvrent les portes et les coffres-forts. Les clés semblent toutes semblables, mais comme les flocons de neige, elles sont toutes différentes.

Chaque matin, Harry est heureux de se rendre à son travail. Il apprend tout au sujet des serrures et des clés. Il adore parler avec les clients, discuter et rire. Parfois, derrière le comptoir de la serrurerie, il exécute un tour de magie.

Un jour, un policier se présente avec un vieil homme accusé d'avoir volé un sac de charbon. Le pauvre vieillard a les mains menottées. Le dos voûté, il se repent comme un enfant puni par sa mère. Le policier, attendri, voudrait bien le libérer, mais comble de malchance, les menottes sont coincées et la clé ne fonctionne plus. Harry regarde les menottes. Un mauvais souvenir lui revient en mémoire...

— Puis-je vous aider ? demande Harry.

— J'espère que oui, répond le policier, sinon ce pauvre homme ne pourra plus se servir de ses mains !

Harry jette un regard rapide au policier, puis traverse de l'autre côté du comptoir. Il se penche et saisit les mains tremblantes du vieil homme. En quelques secondes, Harry libère le voleur de ses menottes et les fait virevolter fièrement au bout de ses doigts.

— Et voilà le travail ! s'exclame Harry.

— Merci, balbutie le vieil homme d'une voix tremblotante.

— Maintenant que vous êtes libre, dit le policier d'une voix autoritaire, promettez-moi de ne plus recommencer.

— Je le promets, répond le vieil homme.

— Allez, ouste ! ajoute le policier. Ouste ! Partez avant que je ne change d'avis.

Sans plus attendre, le vieil homme quitte les lieux en clopinant.

Harry retourne derrière son comptoir.

— Qu'allez-vous faire de ces menottes défectueuses ? demande-t-il au policier.

— Je vais les jeter à la poubelle ! Pourquoi me demandez-vous cela ?

— Si vous n'y voyez pas d'inconvénient, j'aimerais les garder en souvenir.

— Je vous les donne ! lance le policier en quittant la serrurerie.

Le soir venu, Harry prend le chemin de la maison avec un trésor dans sa poche. Juste avant de pousser la porte, il pratique une dernière fois son nouveau tour. Il enfile les menottes et zoup ! en un tour de main, il les retire.

Fier de lui, Harry éclate d'un grand rire sonore. Il prend une grande respiration, se concentre et, entre chez lui.

— Harry, dit sa mère, inquiète, pourquoi es-tu menotté ainsi ?

— Moi, menotté ? répond Harry en se libérant de ses entraves de métal. Personne ne peut menotter Harry Houdini, ma belle maman d'amour !

— Tu es un vrai magicien Harry ! Mais comment fais-tu ? s'étonne Cécilia.

— Secret de magicien, répond Harry en se libérant à nouveau de ses menottes. Tu sais bien que j'ai plusieurs tours dans mon sac !

Aussitôt, Harry présente quelques tours avec des cartes, des cordes et des foulards.

Cécilia applaudit. Elle cherche les cartes disparues et s'étonne de ses tours de passe-passe. Elle en redemande toujours et encore !

Harry est heureux de voir la joie et le bonheur sur le visage de sa mère. Cécilia, sa toute première spectatrice, est enthousiaste. Harry sait qu'il doit persévérer. Il a encore beaucoup de travail à faire avant de devenir le plus grand magicien du monde.

Harry n'a que seize ans lorsque la mort vient faucher son père.

« La vie est bien courte, se dit Harry. Je n'ai plus de temps à perdre. »

Il quitte son emploi de serrurier pour se consacrer à la magie.

Avec son frère Théo, Harry prépare un spectacle qu'il présente dans les écoles, les foires, les petits cirques et d'autres endroits publics. Mais il n'a pas assez d'argent pour acheter du matériel de magie. Il doit se contenter de cartes, de cordes et de menottes.

Avec toi, partout, pour toujours !

Harry s'entraîne sans relâche et avec passion à ses tours de magie. Cent fois il rate ses tours, mais il recommence sans cesse. Pour réussir, il doit être persévérant. Le jeune magicien ne s'arrête que lorsqu'il a réussi à améliorer sa technique. Et ainsi, petit à petit, jour après jour, il devient de plus en plus habile.

Harry, le Prince de l'air, le coupeur de cravates, le serrurier devient enfin Harry, le magicien. Les spectacles sont souvent présentés devant de petits publics plutôt distraits mais néanmoins enthousiastes. Rapidement, Harry réalise que le public écoute davantage lorsqu'un tour est accompagné d'une histoire rocambolesque racontée avec cœur. Il s'amuse. Il gesticule. Il lève les sourcils. Il mime l'effroi, la surprise ou la peur, en fixant les spectateurs droit dans les yeux. Parfois, il descend dans la salle, choisit une personne de l'auditoire et la fait monter sur scène pour l'aider à réaliser un tour de magie. L'effet de surprise est toujours garanti.

Un soir, Harry aperçoit une jeune femme au fond de la salle. Intimidée, elle baisse les yeux en lui souriant gentiment. Harry a le coup de foudre. Il est surpris par la magie de l'amour.

« C'est ma femme, mon épouse, ma dulcinée, c'est l'amour de ma vie », se dit-il en lui-même.

Aussitôt, il demande galamment à la jeune femme de bien vouloir accepter de participer à un tour de magie. Elle accepte et monte sur la scène.

— Puis-je connaître votre nom, mademoiselle ? lance Harry devant la foule absorbée par le spectacle.

— Béatrice, répond timidement la jeune femme.

— Béatrice, répète Houdini ému et troublé. Béatrice, ma très chère Béatrice, voulez-vous m'épouser ?

Toute la salle éclate de rire, mais Harry demeure imperturbable.

— Vous vous moquez de moi, monsieur Houdini ? murmure Béatrice en rougissant.

— Moi ? Jamais, je ne me moquerais de vous ! Vous êtes la plus jolie, la plus belle, la plus merveilleuse des femmes que la Terre ait portée ! Épousez-moi et je vous aimerai toute ma vie ! Je le jure devant tous ces gens ici, ce soir. Allez, dites oui !

Émus par cette touchante demande, les spectateurs se lèvent pour applaudir à tout rompre.

— Je vais réfléchir, monsieur Houdini, répond Béatrice timidement.

Béatrice ne réfléchit pas très longtemps. Un mois plus tard, Harry Houdini et Béatrice Raymond, surnommée affectueusement Bessie, s'épousent le 22 juin 1894. Béatrice a dix-huit ans et Harry en a deux de plus.

À partir de ce jour, Bessie et Harry deviennent inséparables. Ils partagent leur vie privée et leur vie publique. Bessie devient l'assistante de Harry et ils forment : « les HOUDINI pour le meilleur et pour le pire ! ». Harry est un grand romantique. Chaque jour, il écrit une lettre d'amour à sa belle.

Bessie, mon bel amour,

Chaque matin, je m'étonne de la douceur de ton regard et de la clarté de ta voix. Chaque jour, je remercie Dieu, la lune et les étoiles de m'avoir permis de te rencontrer. Chaque soir, je m'endors dans tes bras comme le plus heureux des hommes.

Tu es mon adorée, ma princesse et mon amour. Tu es la rose rouge au milieu de mon jardin. Tu es la magicienne de mon coeur. Tu es le plus fantastique tour de magie que le ciel ait réalisé sur cette Terre.

Je t'aime.
Ton Harry

La Métamorphose

Harry ne supporte pas d'être séparé de Bessie. Elle l'accompagne partout. Elle est sa source d'inspiration et sa complice. Durant leur spectacle, Bessie chante pendant que Harry fait des tours de magie avec les cartes. Mais au fil du temps, Harry sait qu'il doit se démarquer des autres magiciens. Il doit réinventer son spectacle. Pour cela, il crée ses propres effets d'illusion, construit des caissons à double fond, invente des poudres phosphorescentes et toutes sortes d'instruments mystérieux. Bientôt, Harry et Bessie exécutent ensemble des tours de plus en plus audacieux. L'un d'entre eux, très apprécié du public, s'intitule : La Métamorphose.

Pour exécuter ce tour, Harry et Bessie utilisent un coffre suffisamment grand pour qu'une personne puisse s'y coucher, un très grand sac, une couverture et des chaînes.

Sur le devant de la scène, Harry s'avance majestueusement. La foule applaudit de longues minutes pendant que Bessie fait son entrée. À grands gestes, Harry tente de calmer les spectateurs. Il demande le silence. Dans la salle, les lumières s'éteignent. Ce tour exige beaucoup de concentration. Le silence est total. Harry prend une grande inspiration et gonfle le torse. Son regard devient mystérieux. Il écarte les bras et tend son corps comme une corde de violon.

Pendant ce temps, Bessie a fait rouler le coffre jusqu'au centre de la scène et en a ouvert le couvercle. À l'intérieur, elle dépose le grand sac de tissu noir et invite Harry à s'y glisser. Le magicien grimpe dans le coffre, mais, avant de disparaître dans le sac, Bessie a tôt fait de le couvrir de chaînes et de faire cliqueter les verrous de plusieurs cadenas.

Avant de s'éclipser, Harry lance un dernier « Goodbye » à la foule comme s'il n'allait plus jamais revenir. Puis, la corde du sac se serre au-dessus de sa tête et il se couche dans le coffre. Bessie referme le couvercle et en barde les ferrures de plusieurs autres cadenas.

Après avoir fait tourner le coffre sur la scène, Bessie l'arrête et monte dessus. Elle se penche, empoigne le grand drap noir et se cache derrière. Tout à coup, pouf !

Le drap tombe par terre et Houdini apparaît, exactement à l'endroit où Bessie se trouvait quelques secondes auparavant. Mais où est Bessie ? semble demander Houdini à la foule sidérée. Harry fait valser les clés dans les serrures des cadenas, ouvre le coffre, délie les cordons du sac, et Bessie en sort, fraîche comme une rose !

Les spectateurs sont en délire. Les applaudissements fusent de toutes parts. Hourra ! Hourra ! Harry fait un clin d'œil à Bessie. Ils se sourient, puis ils saluent la foule en se tenant la main.

Mon amour, partons à la conquête du monde !

Tous les soirs, les Houdini font salle comble. Leur spectacle obtient beaucoup de succès. Les gens sont attentifs et enthousiastes. Harry est devenu un grand magicien, mais les salles sont trop petites, les contrats sont de courte durée et les cachets bien trop maigres pour faire vivre Harry et Bessie et aider sa mère Cécilia.

Harry sait que pour devenir célèbre, il doit se démarquer, mieux se faire connaître et se produire dans de plus grandes salles. Il ne veut plus perdre de temps. Son expérience est solide et il croit en lui.

— Mon amour, partons d'ici, propose Harry à sa chère Bessie. Ce n'est pas en Amérique que nous deviendrons célèbres. Partons à la conquête de l'Europe. Nous y deviendrons riches et célèbres !

Bessie aime tendrement son époux. Depuis tout ce temps qu'elle passe dans les foires et les théâtres, elle sait bien que Harry a raison. Malgré les tours prodigieux qu'ils présentent, ils sont pauvres. Le loyer, la nourriture, leurs costumes de scène coûtent très chers. Bessie a confiance en son mari. Elle n'hésite pas à acquiescer à son désir.

La traversée en bateau est longue et éprouvante (Harry et Bessie ne voyagent pas en première classe !). Tout le long du voyage, ils ont le mal de mer.

À leur arrivée en Angleterre, ils ont tout juste assez d'argent pour survivre une semaine. Pas de temps à perdre ! Harry se met à la tâche et cherche une salle pour présenter son spectacle.

Malheureusement, les salles de spectacle sont toutes réservées des mois à l'avance et celles qui sont disponibles sont hors de prix. Les Houdini ne se découragent pas. Du matin au soir, ils cherchent l'endroit où ils deviendront célèbres. Finalement, ils dénichent une salle convenable dans un quartier de Londres. Harry n'a pas assez d'argent pour payer la totalité de la location. Il peut à peine payer le premier versement pour réserver le théâtre. Harry sait qu'en cas d'échec, ce sera la catastrophe. Ils n'auront plus un sou et il devra abandonner la magie.

— Nous n'avons pas le choix, Bessie chérie ! Nous sommes condamnés à réussir.

Bessie sourit. Elle serre la main de son compagnon. Fort de l'appui de son amoureuse, Harry se présente au bureau du propriétaire de la salle de spectacle.

— Bonjour, monsieur ! Nous sommes les Houdini. Vous nous reconnaissez ? dit Harry en bluffant.

L'homme, derrière son bureau, lève les yeux au ciel d'un air las.

— Et vous êtes sûrement de grandes vedettes américaines ? réplique ironiquement le propriétaire qui a l'habitude de rencontrer des artistes sans le sou. Non ! Je ne connais personne de ce nom. Zucchini, vous dites ?

— HOUDINI ! reprend fièrement Harry.

— Houdini, Zucchini, Spaghetti, réplique le propriétaire, je m'en fous. Si vous voulez une salle, vous devez payer, même si votre spectacle n'attire personne.

— Sachez, monsieur, qu'un jour on parlera de votre théâtre comme étant la première salle de spectacle d'Europe où se sont produits le célèbre Harry Houdini et son épouse Bessie, lance Harry en payant.

En sortant du théâtre, Harry a les larmes aux yeux. Et s'ils ne réussissaient pas ?

— J'ai confiance en toi, Harry. Je sais que nous allons réussir ! dit Bessie en guise d'encouragement.

— Tu as raison, ma douce Bessie. Je ne dois pas me décourager. Maintenant, il ne reste plus qu'à faire connaître le lieu, le jour et l'heure de notre premier spectacle. Et pour cela, les gens doivent me voir tout de suite ! À quel endroit y a-t-il le plus de gens qui circulent dans cette ville ?

— Au centre-ville de Londres, répondit Bessie. Mais que vas-tu encore inventer ?

— Suis-moi, Bessie. J'ai une idée !

Comment se faire connaître selon Harry Houdini

En 1900, la radio, la télévision, l'ordinateur et Internet n'existent pas. Les communications se font bien différemment d'aujourd'hui. À l'époque, le bouche à oreille, les journaux et l'affichage restent les seuls moyens pour se faire connaître.

Lorsque Harry et Bessie arrivent au centre-ville de Londres, ils se croient dans une immense fourmilière. Les gens pressés circulent dans toutes les directions sans se regarder ou s'intéresser à ce qui se passe autour d'eux.

— Harry, comment vas-tu faire pour attirer leur attention ? questionne Bessie, intriguée.

— En étant différents, ma chérie ! Combien d'étages compte cet immeuble, crois-tu ?

— Il doit bien avoir dix étages, répond Bessie. Mais que vas-tu faire, Harry ?

— Écoute-moi bien, Bessie. Nous allons monter tout là-haut. Ensuite, nous allons fixer un cordage à une poutre du toit. Tu vas m'y attacher, me menotter et m'aider à me suspendre dans le vide par les pieds.

— Tu veux faire ce numéro ici, maintenant ? s'exclame Bessie. Mais tu es fou Harry, c'est beaucoup trop dangereux ! Tu vas te tuer.

— C'est justement ce que les gens vont penser. Ils auront peur pour moi. Ils seront intrigués. Ils diront de moi que je suis fou ! Les journalistes seront tous là et, demain, Londres sera à nos pieds ! proclame Harry. Tous voudront savoir qui est ce fou, cet acrobate, ce magicien de l'évasion qui se présente à eux d'une façon aussi originale.

— Je ne veux pas, Harry. Sans filet, tu risques ta vie, s'inquiète Bessie.

— Nous n'avons pas le choix, ma belle, réplique Harry. Demain, la salle doit être pleine, sinon...

C'est ainsi que Harry Houdini est devenu non seulement un grand magicien, mais aussi un publicitaire hors pair. Dans chacune des villes qu'il visitera par la suite, il proposera toujours à son public une démonstration gratuite de son talent et ce, en plein centre-ville. Cette publicité extravagante et dangereuse avait le mérite de remplir les salles de spectacle de ce fou, de cet audacieux personnage, de ce magicien devenu le plus grand !

Je peux sortir
de votre prison

Harry ne s'est pas trompé : son numéro d'évasion, suspendu du haut de l'immeuble, fait sensation. Harry se retrouve à la une de tous les journaux de Londres. Les gens témoignent de ce qu'ils ont vu. Harry attire les foules. La salle louée se remplit soir après soir. Les gens hurlent, applaudissent et ovationnent le grand Houdini.

Certains soirs cependant, Houdini fait face à des spectateurs incrédules, à des gens qui refusent de jouer le jeu de l'émerveillement. Ces personnes cherchent à dénoncer le magicien comme si ce dernier était un dangereux personnage. Harry Houdini aura affaire à plusieurs « mauvais spectateurs » au cours de sa glorieuse carrière.

Un soir, dans la salle pleine à craquer, un homme s'agite, interpelle et insulte Harry :

— C'est un scandale ! Tout est faux ! C'est un truc ! Vous trompez votre public ! Vous n'êtes qu'un imposteur, monsieur Houdini !

Houdini tente de ne pas tenir compte des cris qu'il entend au fond de la salle. Peine perdue. Son détracteur ne cesse de vociférer des injures.

— Pardon ? hurle Houdini indigné. Qui êtes-vous pour venir m'insulter de la sorte et déranger tous ces gens qui ont payé leur siège pour assister à mon spectacle ? Qui êtes-vous ?

— Je suis le gardien en chef de la prison de Londres, répond un homme à la stature imposante. Et je crois que vous n'êtes qu'un menteur. Vous dites être le roi de l'évasion et de la prestidigitation... Je crois que vous n'êtes qu'un fieffé menteur et un fraudeur ! Vous devriez être en prison.

Harry devient rouge de colère.

— Si vous êtes le gardien en chef de la prison de Londres, eh bien moi, Harry Houdini, je vous lance un défi !

— De quel genre de défi s'agit-il ? rétorque le gardien.

— Enfermez-moi dans votre prison ! lance Harry avec dédain, et j'en sortirai, sans aucune aide. Enfermez-moi dans votre cellule la plus sombre, dans votre cachot le plus sordide. Enchaînez-moi à vos fers et à vos boulets les plus solides. Si je ne parviens pas à m'en délivrer, je ferai une déclaration solennelle sur la place publique affirmant que je ne suis qu'un scélérat et un menteur. Mais si j'en sors, monsieur, vous devrez dire à tous que je suis le plus grand magicien du monde, que je suis Harry Houdini, le maître de l'évasion !

— Marché conclu, s'exclame le gardien dans un grand rire. Je vous attends, samedi prochain devant la prison et j'invite tous les Londoniens à se joindre à moi pour dénoncer votre insolence et vous humilier en plein jour.

— Partons d'ici, Harry, chuchote Bessie qui se sent défaillir.

Houdini glisse un bras sur les épaules de Bessie.

— Mesdames et messieurs, le spectacle est terminé. Je vous invite cependant, ce samedi 13, à 13 heures précises, devant la prison de Londres. Venez avec vos amis, vos parents et vos enfants. Je serai enfermé dans la prison la mieux gardée de Londres et d'Europe. Et je jure devant vous que je m'en libérerai !

Impossible de sortir de la prison de Londres ?

Le samedi suivant, le soleil brille de tous ses feux. Une foule considérable s'est installée à l'ombre de l'imposante prison de Londres. Les journaux ont fait grand écho du défi lancé à Houdini. Des enfants et leurs parents, des grands-mères et des grands-pères, des curieux, des amuseurs de rues et des vendeurs itinérants se massent aux pieds des lourdes portes de la prison. Chacun veut savoir si Harry Houdini parviendra à s'évader de la prison la mieux gardée du pays.

— Mesdames et messieurs, crie le gardien en chef dans son immense porte-voix, j'ai le devoir de vous dire que, dans notre merveilleux pays, des imposteurs présentent des spectacles stupides et idiots. Ils se croient plus fort que la loi et l'ordre. Il est important de les dénoncer.

Le gardien en chef fait quelques pas sur sa tribune en voyant Harry Houdini s'approcher en compagnie de Bessie. Puis il reprend son discours.

— Je vais vous prouver, reprend le gardien en chef, que la prison de Londres est la plus inviolable des prisons. Personne ne s'en évade. Je vais vous prouver que ce monsieur Houdini n'est pas le roi des magiciens, mais le roi des menteurs !

Sourire aux lèvres, Harry grimpe les quelques marches qui le séparent du gardien chef. Dans un geste élégant et spectaculaire, Houdini fait virevolter sa longue cape rouge avant de s'emparer du portevoix.

— Mesdames et messieurs, vous allez assister aujourd'hui à un événement historique. Du jamais vu ! Moi, Harry Houdini, je serai enfermé dans la prison la plus célèbre d'Angleterre. Et je vais m'en évader ! En ces temps difficiles de chômage et de pauvreté, j'aimerais que les gens sachent qu'avec de la persévérance et du courage il est possible de se libérer de bien des maux, de la misère, de la peine et même… des menottes !

Aussitôt, le gardien en chef sourire en coin, saisit les poignets de Harry et lui passe les menottes. Par la grande porte de la pri-

son, comme un voleur, Harry fait son entrée, précédé et encadré par des gardiens costauds.

La prison est immense et froide. Harry sent l'humidité s'infiltrer jusque dans ses os. L'écho des bottes sur le sol résonne à l'infini.

Harry franchit plusieurs portes verrouillées avant d'arriver à la cellule la plus sécuritaire de la prison, celle où les criminels les plus dangereux sont incarcérés. Sur le mur de la cellule, Harry est menotté pieds et poings à de gros anneaux de métal.

Pendant que dehors la foule attend patiemment, de multiples portes claquent et grincent. Le cliquetis des clés résonnent dans les serrures et les cadenas. Harry est laissé seul à son destin.

Après vingt minutes d'attente, le directeur de la prison explique encore une fois à la foule, qu'il est impossible de sortir de son établissement. Il se pavane à l'idée d'avoir gagné son pari.

Soudain, le directeur cesse de parler, distrait par un bruit venu de la prison. Il tourne la tête. Un petit grincement se fait entendre. La grande porte s'entrouvre légèrement. La foule devient silencieuse. Chacun retient son souffle. Finalement, la porte s'ouvre et Harry Houdini apparaît triomphant, le sourire aux lèvres et les bras levés au ciel. Un murmure sourd se fait entendre dans la foule, puis un tonnerre d'applaudissements explose. Harry Houdini a gagné son pari.

— Mesdames et messieurs, je vous remercie, lance Houdini dans le porte-voix. Je dois cependant avertir le gardien en chef de la prison que, non seulement j'ai relevé son défi et me suis moqué de chacune de ses portes, de ses serrures et de ses boulets, mais que je lui ai également réservé une petite surprise...

Le gardien en chef, devenu tout pâle, s'empresse de se faufiler dans la prison. Il en ressort quelques minutes plus tard, l'air abattu.

— Mesdames et messieurs, annonce le gardien en chef d'un air solennel, avant de sortir de la prison la mieux gardée de Londres, monsieur Harry Houdini a pris le temps d'inviter les prisonniers à changer de cellule. Ma prison est toute à l'envers ! Monsieur Houdini, je m'incline, vous êtes le Roi de l'évasion !

Retour au bercail

L'évasion de la prison de Londres fait connaître Harry. La réputation des Houdini traverse toutes les frontières, si bien que Harry et Bessie entament une grande tournée de spectacles qui les mène dans toutes les grandes villes d'Europe.

Dans chaque pays, Harry est accueilli par des foules ébahies et des armées de journalistes et de photographes. Sous le crépitement des flashs, il lance des paris à tous ceux qui trouveront une paire de menottes qui pourra lui résister. Il invite la police locale à assister à ses spectacles afin de créer encore plus d'intérêt et de suspense. Harry gagne tous les défis qui lui sont lancés. Il impressionne partout où il passe.

Les années se succèdent. Harry a maintenant trente ans. Malgré le succès colossal qu'il connaît en Europe, il s'ennuie de l'Amérique, de sa famille et tout spécialement de sa chère mère. En 1904, pour Harry et Bessie, l'heure est venue de rentrer à la maison.

Lorsque le bateau accoste au port de New York, une foule immense les attend. La réputation et les exploits de Harry en Europe ont traversé l'Atlantique. C'est sous un tonnerre d'applaudissements que Harry et Bessie traversent la passerelle et foulent à nouveau le sol d'Amérique.

Dans les jours qui suivent, le couple achète une grande maison et invite Cécilia à vivre avec eux. Même si Harry est devenu le plus célèbre magicien du monde, il n'arrête pas d'inventer de nouveaux tours de prestidigitation et d'évasion.

Dans leur nouvelle maison, Harry fait installer une grande baignoire afin de lui permettre de s'enfoncer profondément dans l'eau et de retenir son souffle le plus longtemps possible. Il passe plusieurs heures par jour la tête sous l'eau au grand désespoir de Bessie et de Cécilia qui s'inquiètent pour sa santé.

— Tu vas finir par te noyer, s'inquiète Bessie.

— Sois raisonnable Harry, tu restes trop longtemps sous l'eau, supplie Cécilia. Bessie a raison !

Mais Harry n'en fait qu'à sa tête. Il répète sans cesse qu'il sait ce qu'il fait. Selon lui, pour bien faire son travail, il doit être comme un athlète le jour d'une épreuve olympique.

Il s'entraîne. Il planifie soigneusement ses cascades. Il ne laisse rien au hasard.

Un matin, Harry annonce à Bessie qu'il est prêt pour un autre grand coup.

— Le numéro de la Métamorphose a été un de nos grands succès, annonce-t-il à Bessie. Mon prochain numéro sera mille fois plus spectaculaire. Je suis prêt à me lancer à l'eau.

Bessie regarde son époux avec inquiétude.

— Qu'as-tu encore inventé ? bredouille-t-elle.

Sauter d'un pont

La nouvelle cascade de Harry attire beaucoup de spectateurs. En plus des journalistes, des photographes et des caméramans, une foule considérable attend sur le tablier d'un pont. Que fera le Roi de l'évasion ? Quel nouveau moyen a-t-il trouvé pour tromper la mort.

Il fait froid. L'hiver a couvert l'eau de la rivière d'une épaisse couche de glace. Des hommes y ont creusé un grand trou. Sur le pont, une grue retient une boîte de bois et de métal. Harry se présente vêtu de son peignoir de satin rouge. Il affiche une terrible confiance qui n'a pas convaincu Bessie. Il salue la foule. Sous son peignoir, il n'est habillé que d'un simple maillot. Un homme arborant une énorme moustache s'avance vers Harry. En quelques instants, il lui lie les poignets et les chevilles avec des menottes et de lourdes chaînes. Pendant que la foule frissonne, Harry pénètre dans la boîte de bois. Trois gaillards scellent la

prison de Harry en y enfonçant d'énormes clous.

Lorsque la foule comprend que Harry sera plongé dans l'eau glacée, on entend des femmes hurler, des hommes crier et des enfants pleurer.

— Il va mourir !

— Arrêtez-le !

— Empêchez cet homme de se tuer !

La grue crache une épaisse fumée noire lorsqu'elle soulève son précieux chargement. La boîte se balance dans le vide. Puis, lentement, très lentement, elle descend au-dessus du trou creusé dans la glace. Le temps s'arrête. La foule est silencieuse.

Les cordes sont coupées et la boîte de bois dans laquelle Harry a pris place s'enfonce rapidement dans l'eau glacée. Harry est abandonné à son sort. Maintenant, il ne peut se sauver que par ses propres moyens.

Lorsque Harry parvient à se délivrer des chaînes et des menottes, il prend une dernière inspiration et brise sa cage de bois. En remontant vers la surface, il se rend compte que le courant l'a emporté beaucoup plus loin que prévu. Il ne retrouve plus le trou pour sortir à l'air libre. La panique s'empare de lui.

Dans quelques instants, il mourra, étouffé, frigorifié. Il doit trouver la sortie. En nageant, Harry se rend compte que des poches d'air glissent sous la surface de la glace. Ses quelques respirations lui permettent de chercher encore, mais il sent le froid lui paralyser les jambes et les bras. Déjà, il ne sent plus ses mains. Il nage dans toutes les directions. Soudain, une main agrippe son bras et il se retrouve hors de l'eau. Une couverture chaude l'enveloppe. Il n'a presque plus de forces, mais le spectacle doit continuer. Il lève les bras au ciel en guise de victoire.

La foule, stupéfaite, hurle sa joie.

Une tournée américaine ?
Pourquoi pas !

L'exploit de Harry le propulse au sommet de la gloire. Son nom est sur toutes les lèvres. Le bouche à oreille va bon train et Harry ne fait rien pour l'arrêter, bien au contraire. Chacun de ceux qui racontent un de ses exploits ajoute une petite touche personnelle. Les dix minutes passées sous l'eau deviennent bientôt vingt, puis trente minutes. Harry est non seulement le Roi de l'évasion, il est aussi le Roi de la publicité choc.

Il reçoit des invitations de partout aux États-Unis. Chacun veut voir, de ses yeux, le phénomène Houdini. Partout où il passe, il étonne et impressionne. Les gens se bousculent à chaque représentation. Et Harry ne les déçoit pas. Il veut toujours en faire plus, être plus formidable, remarquable, extraordinaire.

En 1907, Harry et Bessie présentent un spectacle dans la ville de Saint-Louis, au

Missouri. L'affiche annonce que ce nouveau numéro est le plus dangereux de la carrière du Roi de l'évasion.

Cette fois, Harry Houdini est enfermé dans une cage de verre.

Le soir de la première, la salle est bondée de spectateurs nerveux et anxieux. Lorsque le rideau se lève, trois hommes vêtus de noir s'avancent sur la scène. Le premier a des cheveux bruns et porte une immense moustache. Le second est barbu. Le troisième a une longue crinière blonde. Ce dernier s'avance vers les spectateurs et leur dit :

— J'espère que vous avez le cœur solide. Le numéro que vous présente monsieur Houdini est à couper le souffle.

Pendant ce temps, les deux autres assistants apportent sur la scène une grande cage de verre, des paires de menottes et des chaînes.

L'homme à la crinière blonde poursuit la présentation :

— Ce soir vous aurez la chance d'assister à une première mondiale dont on parlera pendant des siècles. Mais d'abord, je vous présente monsieur Harry Houdini.

Un tonnerre d'applaudissements accueille Harry.

Comme un boxeur qui a gagné un championnat, Harry se présente vêtu d'un élégant maillot de bain vert. Après avoir été menotté et enchaîné, Harry est soulevé par un treuil et déposé au fond de la cage. Puis l'homme à la barbe empoigne un tuyau et ouvre une valve. L'eau tourbillonne aux pieds de Harry. Dans la cage, l'eau monte dramatiquement. Le ventre, les épaules, le cou... L'eau monte et monte... Harry lève la tête et prend une dernière grande inspiration. L'eau couvre sa bouche, atteint son nez. Il ne peut plus respirer. Son corps est entièrement submergé. L'homme moustachu referme le sas et le scelle.

Tout comme Harry dans sa cage de verre, les spectateurs retiennent leur souffle. Quelques longues secondes s'écoulent. Soudain, Harry se met au travail. Il gesticule et des milliers de bulles se forment autour de lui. Il lutte, il se bat contre ses entraves.

Un long cri se fait entendre. Parmi les spectateurs, un homme vient de perdre conscience.

— Y a-t-il un médecin dans cette salle ? hurle une autre femme en détresse. Brisez la vitre de cette cage. Il va se noyer devant nous !

Bessie est prête. Elle tient à la main une lourde masse. Mais elle sait qu'il n'est pas

encore temps. Son mari accomplit le plus périlleux numéro de sa vie.

Il sait qu'il peut mourir.

Elle sait qu'elle l'en empêchera.

Avant d'entrer en scène, Harry a dit à Bessie de briser le verre quand il lui demandera de le faire. Pas avant. Bessie sait trop bien que Houdini préférerait mourir sur la scène plutôt que de perdre la face et de rater un spectacle. La honte serait plus forte que la mort elle-même.

Les minutes passent. Harry parvient à se défaire de plusieurs entraves, mais il lui reste à trouver la combinaison pour ouvrir le sas. Il n'y arrive pas. Il n'y arrive pas ! Bessie s'avance. Harry ralentit la cadence. Il suffoque. Et puis soudain, il s'arrête. Un chapelet de bulles glisse au coin de sa bouche. Bessie lève la masse au-dessus de sa tête et s'élance vers la cage. Au même moment, dans un effort suprême, Harry ouvre sa prison de verre et sort de l'eau.

L'assistance se lève d'un seul bond et lui fait une ovation monstre.

Encore une fois, Harry a gagné !

Les années passent

Harry, accompagné de Bessie, poursuit sa tournée à travers l'Amérique. Sa réputation de grand magicien est maintenant solidement établie. Il est devenu une légende vivante. Partout où il passe, ses admirateurs se pressent pour le voir et le toucher.

Ce que les gens racontent à son sujet est souvent exagéré, mais toujours fabuleux et merveilleux. Harry aime bien entretenir le mystère. Il est un admirable conteur. Ses exploits tiennent du miracle. Le lapin disparu devient éléphant. Les minutes passées sous l'eau deviennent des heures.

Harry Houdini a compris très jeune la force des mots. Il sait que raconter ses aventures a presque autant d'impact que les exécuter. Ses admirateurs veulent de l'étrange, du mystère, de l'impossible, du rêve. C'est ce qu'il leur donne. S'ils veulent croire qu'un homme peut défier toutes les règles, Harry veut bien que ce soit lui.

Un dernier malheur

En 1913, Harry est invité à donner un spectacle devant la famille royale de Suède. Après la représentation, Harry et Bessie rentrent à leur chic hôtel. Un message de son frère Théo est posé sur le petit meuble, à l'entrée de la chambre :

Harry, un grand malheur nous frappe… Notre chère maman nous a quittés cette nuit. Reviens vite. Nous avons besoin de toi.
Ton frère Théo.

Harry laisse tomber le billet de Théo. Tout son corps tremble de chagrin. L'homme qui peut endurer de grandes douleurs physiques et retenir son souffle durant de longues minutes n'a plus de mots pour exprimer sa douleur. Cette fois, le Roi de l'évasion ne pourra pas fuir ce malheur. Cette fois, le défi est démesuré. Le grand Harry Houdini, celui qui impressionne les foules par sa détermination, sa force et son courage est incapable d'accepter la fatalité.

Harry reste inconsolable.

Après la mort de sa mère, Harry cesse de donner des spectacles. Il a besoin de repos. Il reste de longues heures sans dire un mot. Les yeux hagards, il pense à sa vie, à son enfance et à sa mère.

Durant deux longues années, Harry, le cœur brisé, fleurit la tombe de sa mère. Chaque jour, il prie pour qu'elle lui donne le courage de vivre sans elle.

Afin de chasser ses idées noires, Harry fait installer dans sa maison une grande bibliothèque. Pour la deuxième fois de sa vie, les livres guérissent sa peine. Il en achète des milliers. Il engage même un bibliothécaire afin que ses livres soient bien entretenus et classés. La lecture devient son unique réconfort. Il s'intéresse particulièrement au spiritisme. Harry a toujours été au-delà des limites permises. Par le spiritisme, croit-il, il peut s'évader de la réalité, s'évader de la vie et pénétrer dans le royaume des morts. Il cherche par tous les moyens à retrouver sa mère.

— Cécilia, es-tu là ?

Adieu Harry ...

Harry est si bien documenté sur le spiritisme qu'il est devenu une sommité en la matière. Il a toutefois découvert que le spiritisme comporte son lot de mensonges et de charlatans.

Un jour, il est invité à donner une conférence à l'Université McGill, à Montréal. Pendant la conférence, un jeune homme du nom de Sam Smiley est assis au premier rang et dessine le portrait du célèbre Houdini. Intrigué, Harry l'observe du coin de l'œil. Après la conférence, Sam s'approche du grand magicien.

— Je n'ai pas terminé votre portrait, dit-il à Houdini. Vous est-il possible de m'accorder quelques instants pour que je puisse terminer mon dessin ? Cela me fera plaisir de vous en faire cadeau.

Harry jette un coup d'œil sur l'esquisse et remarque le grand talent du jeune homme. Mais Harry a mal au ventre depuis quelques jours.

— Je veux bien poser pour vous, répond Harry en se massant le ventre, mais j'ai quelques problèmes de digestion. Je vous propose de terminer votre dessin dans ma loge.

Aussitôt dans la loge, Sam se remet à la tâche.

Soudain, quelqu'un frappe à la porte.

— Entrez ! lance Houdini, sans se lever.

Un jeune étudiant pousse la porte.

— Bonjour, s'exclame le jeune homme, je suis enchanté de rencontrer le grand Houdini. Je me présente : je m'appelle Golden Whitehead, étudiant à l'université. J'ai beaucoup entendu parler de vous par mon père. Vous êtes son héros. Je voulais vous rencontrer et vous serrer la main. J'aimerais aussi vous faire cadeau de ce livre sur l'histoire de la magie.

Harry reste assis, muselé par la douleur qu'il a au ventre.

Le jeune Golden s'approche et lance une série de questions qui impatientent Harry.

— Est-ce vrai tout ce que les gens racontent sur vous ?

— Est-ce vrai que vous avez réussi à vous libérer d'une prison ?

—Est-ce vrai que vous avez été enfermé dans une cage, menotté, puis jeté dans une rivière ?

— Si vous y croyez, c'est que c'est vrai, répond Harry philosophe. Ce n'est certainement pas moi qui vais vous contredire. Chacun de nous porte sa vérité. Mais n'oubliez pas une chose, chaque vérité a sa part d'illusion, poursuit Harry en se levant.

— Mon père m'a dit que vous aviez des abdominaux d'acier et que vous pouviez recevoir plusieurs coups de poing dans le ventre sans difficulté, poursuit Golden.

Et sans prévenir, le jeune homme assène trois violents coups de poing dans l'estomac d'Harry.

Surpris, Harry n'a pas le temps de préparer son abdomen à un tel choc. Il s'effondre de douleur et perd conscience.

Golden et Sam sont affolés. Ils s'empressent d'aller chercher du secours.

Après quelques jours de convalescence, la santé de Harry semble s'améliorer, mais bientôt, il est en proie à de terribles douleurs abdominales.

Deux semaines plus tard, le 31 octobre, soir de l'Halloween de 1926, à l'âge de 56 ans, Harry Houdini, entouré de sa femme et de ses amis, meurt d'une péritonite.

La nouvelle de sa mort fait le tour du monde. Ses admirateurs sont dévastés par le chagrin. Comment un homme aussi extraordinaire a-t-il pu mourir d'une façon aussi banale ? C'est la consternation générale.

Harry Houdini a disparu à tout jamais, mais ses exploits continuent de fasciner des générations de jeunes magiciens. Il restera, au fil du temps, une source d'inspiration, de courage et de persévérance. C'est peut-être le plus grand exploit qu'ait réussi cet insurpassable magicien.

Danielle Vaillancourt

Petite, lorsque ma soeur me cherchait, je l'entendais dire : Où est Danielle ? Et ma mère de répondre : elle a disparu ! Je n'étais pas bien loin. Non, je n'étais pas menottée comme Harry Houdini. Je me cachais tout simplement dans la garde-robe ! Ah, cette garde-robe ! Je l'avais aménagée pour y passer des journées entières. J'y étais chez moi. Lorsque je fermais la porte, tout un monde imaginaire prenait vie. Apprendre à lire y a fait entrer des personnages illustres et des invités de marque !

Ma grand-mère Alice est devenue la première invitée de mes interviews. Devant son album de photographies, elle me racontait ses souvenirs de jeunesse, ses histoires de cœur et ses plus grandes peines. Dans ma propre maison, ma grand-mère est devenue un extraordinaire personnage d'histoire. Et pas n'importe quelle histoire ! Ce qu'elle me racontait, c'était une partie de ma propre histoire.

Écrire cette courte biographie de Harry Houdini m'a permis de renouer avec ma passion de connaître la vie de ceux qui marquent leur époque. J'y ai découvert un homme amoureux, passionné et persévérant. Sa vie mouvementée et trépidante m'a contrainte à faire des choix et à omettre certains passages de sa vie. Houdini me pardonnera sûrement mes petits tours de prestidigitation littéraire.

Francis Back

Houdini... Ce nom semble s'être lentement effacé de nos mémoires ces dernières années. Depuis, d'autres magiciens-vedettes lui ont succédé. Et, grâce à une technologie de pointe, ceux-ci ont encore fait reculer les limites de l'illusion. Mais dans ma jeunesse, Houdini était sans conteste LE plus grand magicien de tous les temps.

Je me souviens de discussions passionnées dans la cour d'école, où nous échangions nos commentaires sur les exploits véridiques ou imaginaires de Houdini. Chacun de nous prétendait être un grand spécialiste de la carrière de ce fabuleux prestidigitateur. La force et l'agilité de cet homme nous faisaient rêver et stimulaient nos affirmations les plus invraisemblables.

Mais qui était vraiment Ehrich Weiss, alias Houdini ? En bonne auteure et magicienne, Danielle Vaillancourt a fait apparaître devant vos yeux... le vrai Houdini !

MA PETITE VACHE A MAL AUX PATTES

44. *Une flèche pour Cupidon,* de Linda Brousseau, illustré par Marie-Claude Favreau.
45. *Guillaume et la nuit,* de Gilles Tibo, illustré par Daniel Sylvestre.
46. *Les petites folies du jeudi*, écrit et illustré par Danielle Simard. Prix Communication-Jeunesse 2004, Grand Prix du livre de la Montérégie 2004.
47. *Justine et le chien de Pavel*, de Cécile Gagnon, illustré par Leanne Franson.
48. *Mon petit pou,* d'Alain M. Bergeron, illustré par Sampar. 4e position au Palmarès de Communication-Jeunesse 2004.
49. *Archibald et la reine Noire*, de Carmen Marois, illustré par Anne Villeneuve.
50. *Autour de Gabrielle*, des poèmes d'Édith Bourget, illustrés par Geneviève Côté.
51. *Des bonbons et des méchants*, de Robert Soulières, illustré par Stéphane Poulin.
52. *La bataille des mots*, de Gilles Tibo, illustré par Bruno St-Aubin.
53. *Le macaroni du vendredi*, écrit et illustré par Danielle Simard. Grand Prix de la Montérégie 2005
54. *La vache qui lit*, écrit et illustré par Caroline Merola.
55. *M. Bardin sous les étoiles*, de Pierre Filion, illustré par Stéphane Poulin.
56. *Un gardien averti en vaut… trois*, d'Alain M. Bergeron, illustré par Sampar.
57. *Marie Solitude*, de Nathalie Ferraris, illustré par Dominique Jolin.

GARANT DES FORÊTS
INTACTES

Ce livre a été imprimé sur du papier Sylva enviro 100 % recyclé, traité sans chlore, accrédité Éco-Logo et fait à partir d'énergie biogaz.

Achevé d'imprimer
sur les presses de Marquis Imprimeur
à Cap Saint-Ignace (Québec)
en avril 2010